저자 소개

미술 심리상담을 공부하였고 아로마를 활용한 향기 캘리그라피는 사람들에게 사랑받습니다. 사랑과 기쁨을 중요한 가치로 여기며 기쁨을 해처럼 비추어 나와 주변을 살리는 빛나는 사람이 되고 싶습니다. 그래서 닉네임이 기쁨해입니다. 우리는 존재 자체로 있는 그대로 사랑스럽습니다. 산책하며 주변 환경을 관찰하고 식물이나 사물과 대화하며 힐링합니다. 앞으로 사람 살리는 따뜻한 책을 꾸준히 만들고 싶습니다. 감사합니다.

인스타그램 @withjoysun

사랑하는 SOO와 예쁜이
가족들과
도움 주신 분들께
감사드립니다.

6월 클로버

디지털크리에이터와 AI 활용 그림책 만들기

글/그림 : 기쁨해

한때 왕숙천에 작고 초록색인

작은 클로버가 살고 있었어요.

이름은 "나랑"이에요

나랑　　나랑
나랑 나랑 나랑 나랑
나랑 나랑 나랑
나랑

나랑이는 왕숙천의 한구석에서 조용히 자랐어요.

친구들을 만나 재미있게 놀고 싶지만

주위엔 아무도 없었어요.

"아~ 어떻게 하면 친구를 사귈 수 있을까?"

"나도 사랑받고 싶어"

햇살이 눈 부신 오후 드디어 길을 떠났어요.

나랑이는 처음으로 왕숙천 돌다리길에서

강아지풀을 만났어요.

키가 길쭉하고 커다란 힘센 강아지풀이었지요.

강한 물살과 바람에 몸이 흔들흔들

"넌 힘센 강아지풀이니까

이 정도는 쉽게 버틸 수 있어"

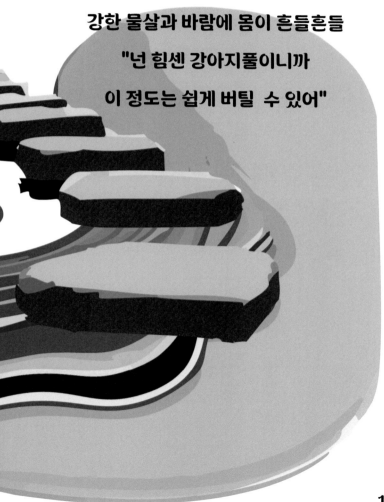

"난 너랑 달라"

"작고 힘도 부족하다고"

"나도 처음부터 힘센이는 아니었어!
너처럼 작고 연약했지!"

나랑이는 힘센이의 어릴 적 모습을 상상했어요.

그동안 꿋꿋이 버티고 뿌리를 내린

힘센이가 자랑스러웠어요.

"참 대단해요"

"나도 할 수 있구나!"

나랑이는 희망이 생겼어요.

어느 날, 나랑이는 갈대밭에서
자신에게 손을 내밀며 응원하는
갈대를 만났어요.
"안녕, 내 이름은 나랑이야."

"안녕, 나랑아.
넌 그동안 만나왔던 클로버들과는 다르구나"
"사람들은 나와 사진을 찍은 후 쌩~ 가버렸어."
"고맙다고 말해준 건 네가 처음이야!"
"덕분에 힘이 난다. 고마워!"

갈대를 만난 후 나랑이의 몸은

두 배로 커지기 시작했어요.

그 후 친구들을 만날 때마다

나랑이의 몸에 변화가 있었어요.

이번에 나랑이는

뽕뽕 구멍 난 나뭇잎을 만났어요.

나랑이는 너무 놀랐어요.

"네 몸에 구멍은 어떻게 생긴 거니?"

"나는 구멍 난 나뭇잎 뚫어뻥이야."

"내 몸에 벌레들이 구멍을 뚫었어."

"처음엔 바뀐 모습에 무척 슬펐단다."

"다른 모습으로 바뀐 나를 받아들이지 못했어."

"그런데 어느 날 구멍 난 내 몸을 통해 무언가 보였지"

"파란 하늘에 몽글몽글 솜사탕같이 부드러운 구름

푸르른 나무와 산까지 볼 수 있었어."

"이젠 내 마음이 뚫어뻥처럼

막힌 것 없이 시원해!"

"너도 나처럼

너만의 아름다움을 발견할 수 있을 거야."

길가에 커다란 해바라기밭에

아기해바라기꽃들이 놀고있었어요.

그중 유난히 밝게 빛나는 해바라기가 인사했어요.

"안녕! 나는 해바라기꽃 해순이야!

우리는 동글동글 커다란 꽃 속에 모여 살아요."

"난 햇빛을 받으면 너무 기뻐"

아기 해바라기의 밝은 모습에

나랑이도 어느새 웃게 되었어요.

"나도 매일 햇빛을 받고 있는데

그런 생각은 안 해봐서 고마워!"

"난 무엇을 할 때 제일 기쁠까?"

나랑이는 생각해 보았어요.

길가에 펼쳐진 보라색 물결!

바로 아름다운 나팔꽃이에요.

그중 눈에 띄는 나팔꽃이 있어

가까이 다가갔어요.

"우와~ 별이잖아. 하트도 있고"

"내가 별과 하트를 찾았어. 내가 해냈다."

"보이지 않았던 것도

자세히 보니 찾을 수 있구나".

캄캄한 밤에도 사랑으로 품은

나팔꽃의 별빛을 지울 수 없어요.

반드시 아침은 찾아오고

빛나는 별을 땅 위에서도 볼 수 있어요.

"나만의 빛나는 것들이 분명히 있을 거야!"

나랑이는 용기를 얻었어요.

붉은 잎은 항상
다른 식물들을 응원하고 있었어요.
나는 다른 이들을 응원하는 것이 중요한
열정 잎이에요.

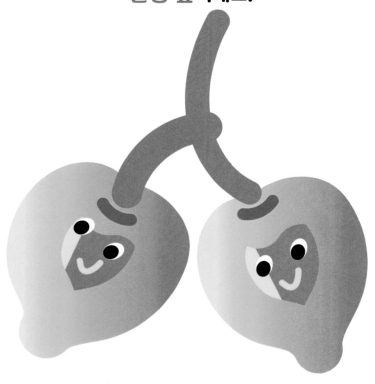

산책하거나 자전거 타는 사람들을 응원해요.

너무 열심히 응원했는지 내 몸도 빨개졌어요.

그래서 열정 잎 이에요!

흐흐 덕분에 겨울엔 추운 것도 몰라요.

친구들과의 만남을 통해

나랑이는 물에 비친

자기 모습을 보기 시작했어요.

초록색 하트가 여섯인 6잎 클로버!

나랑이의 진짜 모습이에요.

나랑이는 멀게만 생각되던 행복을 느끼며

자기가 사랑임을 알게 되었어요.

"나는 사랑이다! 나는 사랑이다! 하하하"

나랑이는 기뻐서 웃는 시간이 많아졌어요.

이제 나랑이 몸에는

두 개의 핑크색 하트인

사랑 날개가 생겼어요.

"어~ 내가 날고 있어! 흐흐흐"

늘 바라만 봤던 하늘을

날게 된 나랑이는 오늘도 행복합니다.

이렇게 나랑이는 사랑을 찾았습니다.

예전엔 꿈꿔보지도 못한 일들이

이제는 나랑이 앞에 펼쳐집니다.

지금쯤 나랑이는 누구를 만날까요?

6잎클로버
디지털크리에이터와 AI활용 그림책 만들기

발 행 | 2023.12.24
저 자 | 기쁨해
펴낸이 | 한건희
펴낸곳 | 주식회사 부크크
출판사등록 | 2014.07.15(제2014-16호)
주 소 | 서울특별시 금천구 가산디지털1로 119 SK트윈타워 A동 305호
전 화 | 1670-8316
이메일 | info@bookk.co.kr
ISBN | 979-11-410-6128-9
www.bookk.co.kr